Max :
se laver

Avec la collaboration
de Renaud de Saint Mars

Merci au CFES,
Comité Français d'Education pour la Santé,
pour son conseil.

Série dirigée par Dominique de Saint Mars

© Calligram 2001
Tous droits réservés pour tous pays
Imprimé en CEE
ISBN : 2-88445-575-2

Ainsi va la vie

Max ne veut pas se laver

Dominique de Saint Mars

Serge Bloch

CALLIGRAM

CHRISTIAN GALLIMARD

7

8

10

Maîtresse, maîtresse !
Michel utilise les
toilettes des filles...
Il n'a pas le droit !

C'est
vrai ça ?

Quand j'ai voulu aller chez
les garçons, Max en sortait.
Et il avait tellement arrosé
partout que...

Tu sais que je vais te casser
la gueule, moi... !

Arrêtez, c'est
pas Max, c'était
déjà sale ce
matin... !

Casse-toi, tu pues !

14

Ah, tu es là... !
Allez, au bain !

Je n'en ai pas besoin et j'ai froid, je vais attraper un rhume et j'ai pas le temps...
Et demain tu voudras encore que je me relave...

Ce n'est pas pour moi que tu te laves, c'est pour toi !

Et d'ailleurs, je devrais prendre mon bain seule... !

... je suis trop grande maintenant...

T'as de la chance de pouvoir voir un garçon nu, et un athlète comme moi ! Pense à celles qui n'ont pas de frère...

22

* Microbe : Etre vivant microscopique, d'une seule cellule, qui est à l'origine de la décomposition et des maladies infectieuses.

25

* anticorps : substance dans le sang capable de reconnaître les microbes et d'y résister.

26

Voilà, tu es tout beau, rince-toi maintenant !

Tu sais, maman, avant, les gens ne se lavaient pas, même les rois et les princes...

Oui, et dans les villes, on jetait les poubelles et les eaux sales dans les rues... Mais les gens vivaient beaucoup moins longtemps que nous...

Dans notre pays, on a de la chance d'avoir de l'eau propre, on la paye assez cher !

Et les animaux ! Ils n'ont pas de baignoire, ni de savon...

Mais ils se lèchent ou ils sont auto-nettoyants ! Les chats ne sont jamais sales. Les chiens des villes, euh...

Ça serait bien que tu laves Pluche, demain... il ne sent pas bon...

Quelle horreur ces cochonneries ! Dans ma chambre en plus !

Bien trop sale pour la poubelle. C'est bon pour le feu... et hors d'ici !

AU DÉJEUNER...

Lili, c'est vrai que tu as jeté les affaires de Max dans le jardin ?

Oui, c'est vrai et je n'irai jamais les chercher... C'est pire que de la crotte de chien. Ça sent tout le temps mauvais dans notre chambre !

De toute façon, toi, tu te rhabilles sans douche après le foot...

Moi, tout est au sale ! Je ne peux pas me changer deux fois par jour... comme certaine princesse !

... et le siège des toilettes que tu ne relèves jamais pour faire pipi... Et c'est toujours mouillé !

Mais je suis un homme, moi ! Je fais pipi debout !

Arrête, Max, Lili a raison. Comme pour la cuillère que tu suces et que tu remets dans la confiture ! Et avec des microbes ou du beurre dedans, elle pourrit plus vite.

30

C'est vrai, Max, tu es de plus en plus crasseux. Tu dois prendre soin de ton corps, de ta santé.

Mon corps ? Propre ? Bof... L'important, c'est qu'il soit FORT !

Tu ne te rends pas compte, sous tes ongles, ça grouille de microbes et tu mets ça dans ta bouche ! FILE TE LAVER LES MAINS !

Voilà, tout le monde me lâche. Tout ça pour un petit cornichon ! Très bien, je m'en vais !

Tu vois, Pluche, tu es plus qu'un chien et qu'un ami... tu es ma seule famille ! Tu viens ?

34

Vous aviez raison...
Pluche sentait vraiment mauvais.
Il lui fallait un bain ! Mais, pour
le décider, j'ai dû en prendre
un AVANT lui !

Euh, maman, tu n'as pas
une nappe blanche avec
les serviettes pareilles ?
Pluche et moi, on aimerait
bien vous inviter dans
la cabane, ce soir... !

39

40

Et toi...
Est-ce qu'il t'est arrivé la même histoire qu'à Max ?

C'est parce que tu ne veux pas arrêter de jouer ?
Mais dans le bain, est-ce que tu joues ?

La saleté, ça t'est égal ? Tu trouves ça plus vivant ?
Tes mauvaise odeurs, ça te fait rire ? Tu en es fier ?

Tu n'aimes pas l'eau ? Crains-tu d'avoir froid ?
As-tu encore envie que l'on te lave ?

C'est parce que tu ne veux pas faire plaisir à tes parents ?
Pour te venger, leur dire « non », attirer leur attention ?

Trouves-tu ça inutile ? Dans ta famille, y attache-t-on
de l'importance ? S'est-on moqué de toi pour ça ?

Tu n'aimes pas te montrer nu ou voir les autres nus ?
Le dis-tu ? Respecte-t-on alors ta pudeur ?

Trouves-tu ça agréable d'être propre, pour toi et pour les autres ? T'organises-tu pour avoir le temps ? Aimes-tu l'eau ?

Penses-tu que ton corps est ton ami ? Et que l'hygiène, c'est bon pour la santé ? Connais-tu le rôle des anticorps ?

Respectes-tu ton environnement autant que ton corps ? Es-tu sensible à la propreté chez toi ? dans la nature ?

Des choses sales te gênent-elles à l'école ? Les toilettes ?
Le manque de douche, d'air frais dans la classe ?

Les mauvaises odeurs, la saleté, ça te dégoûte ?
As-tu envie de rejeter ceux qui sont sales ?

Trouves-tu que, chez toi, on est obsédé par la propreté
et tu aimerais bien qu'on pense plutôt à jouer, à rire... ?

Petits trucs anti-cracra
de Max et Lili

OUI !

- Lave-toi les dents après chaque repas
pour balayer les petits restes de nourriture...
- Lave une blessure à l'eau et au savon
pour empêcher les microbes de rentrer dedans !
- Lave-toi les mains avec du savon, souvent,
en rentrant chez toi, après avoir été aux toilettes...
- Fais des petites visites régulières chez le dentiste
même si tu n'as pas mal...
- Essuie-toi les pieds avant de rentrer dans la maison.
- Prends une douche après avoir transpiré.
- Demande du papier toilette et des fermetures
aux portes s'il n'y en pas à l'école.
- Si tu as des poux, organise-toi vite avec tes parents
pour les chasser et ne prête pas ton bonnet.

NON !

- Si tu es enrhumé, n'éternue pas sur ton copain !
- En allant aux toilettes, n'en mets pas partout
et n'oublie pas de tirer la chasse !
- Ne te précipite pas sur la nourriture...
Tu feras moins de taches sur tes vêtements !
- Ne bois pas la vieille eau d'une bouteille,
surtout déjà à moitié bue...
- Ne colle pas tes vieux chewing-gums partout.
- Ne deviens pas un maniaque de la propreté ! Tu risquerais
d'irriter ta peau et de mettre tes anticorps au chômage.
- Ne jette pas tes saletés dans la cour, dans la rue,
dans la campagne, dans la mer...